RECETAS INDIAS 2021

RECETAS INDIAS DELICIOSAS

TERESA JARDIN

Tabla de contenido

Salmuera de nabo

Ingredientes

250 g / 9 oz de nabos, picados en trozos de 2,5 cm / 1 pulgada

240ml / 6fl oz de agua

120ml / ¼fl oz de aceite vegetal refinado

8 dientes de ajo machacados

1 cucharada de pasta de jengibre

240ml / 6fl oz de vinagre de malta

125g / 4½ oz de azúcar moreno*,

rallado

1 cucharadita de chile en polvo

4 dientes

5 cm / 2 pulgadas de canela

2 vainas de cardamomo verde

1 cucharadita de semillas de mostaza, molidas

1 cucharada de sal

Método

- Hervir los nabos con el agua a fuego lento durante 15 minutos. Escurrir y reservar.

- Calentar el aceite en una cacerola. Freír el ajo y la pasta de jengibre a fuego lento hasta que se doren.
- Agrega el nabo hervido y todos los ingredientes restantes. Mezclar bien.
- Cocine la mezcla hasta que el aceite se separe.
- Deje enfriar y transfiera a un frasco limpio y seco.

NOTA: *Esto se puede guardar en el frigorífico durante un mes.*

Encurtido de mango dulce

Ingredientes

500 g / 1 lb 2 oz de mangos verdes, pelados y en rodajas finas

Sal al gusto

1 cucharadita de cúrcuma

120ml / 4fl oz de aceite vegetal refinado

2 dientes

2,5 cm / 1 pulgada de canela

6 granos de pimienta negra

1 cucharadita de chile en polvo

250g / 9oz azúcar moreno rallado*

Jengibre de raíz de 5 cm / 2 pulgadas, finamente rebanado

12 dientes de ajo, finamente cortados

Método

- Frote las rodajas de mango con la sal y la cúrcuma. Dejar reposar durante una hora.
- Exprima el agua presionando las rodajas de mango entre sus palmas. Dejar de lado.
- Calentar el aceite en una cacerola. Agrega los clavos, la canela y los granos de pimienta.
- Déjelos chisporrotear durante 15 segundos. Agrega las rodajas de mango y mezcla bien.

- Agrega la guindilla en polvo, el jaggery, el jengibre y el ajo. Mezclar bien y cocinar a fuego lento hasta que el azúcar moreno se derrita en un almíbar espeso.
- Deja que el pepinillo se enfríe. Almacene en un frasco limpio y seco y déjelo a un lado por un día.

NOTA: *Esto se puede guardar en el frigorífico durante un mes.*

Pepinillo de zanahoria

Ingredientes

6½ cucharadas de aceite vegetal refinado

1 cucharadita de semillas de mostaza

1 cucharadita de semillas de fenogreco

½ cucharadita de asafétida

1 cucharadita de cúrcuma

2 cucharaditas de chile en polvo

Sal al gusto

250 g / 9 oz de zanahorias, en rodajas finas

Método

- Calentar el aceite en una cacerola. Agregue las semillas de mostaza, semillas de fenogreco, asafétida, cúrcuma, chile en polvo y la sal. Freír a fuego lento durante 15 segundos.
- Deja que la mezcla se enfríe. Verter sobre las rodajas de zanahoria y dejar reposar durante 2-3 horas.
- Almacene en un frasco limpio y seco.

NOTA: *Esto se puede guardar en el frigorífico durante una semana.*

Chutney de coco verde

Ingredientes

200 g / 7 oz de hojas de cilantro

100 g / 3½ oz de coco fresco rallado

2 chiles verdes

8 dientes de ajo

Sal al gusto

60ml / 2fl oz de agua

Método

- Muele todos los ingredientes juntos. Almacene en un frasco limpio y seco.

NOTA: *Esto se puede almacenar en el refrigerador durante 2-3 días.*

Chutney de menta

Ingredientes

100 g / 3½ oz de hojas de menta fresca

1 cebolla grande

3 chiles verdes

8 dientes de ajo

Sal al gusto

1 cucharada de agua

Método

- Muele todos los ingredientes juntos. Almacene en un frasco limpio y seco durante 2-3 días.

Chutney de maní

Ingredientes

250g / 9oz de cacahuetes tostados

1 cucharadita de chile en polvo

2 cucharaditas de azúcar

Sal al gusto

Método

- Muele todos los ingredientes juntos. Almacene en un frasco limpio y seco durante 10 días.

Chutney de papaya

Ingredientes

1 cucharadita de sal

2 cucharaditas de azúcar

200g / 7oz de papaya verde rallada

2 cucharadas de aceite vegetal refinado

1 cucharadita de semillas de comino

8 hojas de curry

3 chiles verdes, cortados a lo largo

½ cucharadita de cúrcuma

Método

- Mezclar la sal y el azúcar con la papaya rallada. Dejar de lado.
- Calentar el aceite en una cacerola. Agregue las semillas de comino, las hojas de curry, los chiles verdes y la cúrcuma. Déjelos chisporrotear durante 15 segundos.
- Vierta esto sobre la mezcla de papaya rallada. Mezclar bien.
- Deje que la mezcla se enfríe y luego guárdela en un frasco limpio y seco.

NOTA: *Esto se puede guardar en el frigorífico durante una semana.*

Encurtido de mango agridulce

Ingredientes

500 g / 1 libra 2 oz de mangos verdes, pelados y picados en tiras de 5 cm / 2 pulgadas

Sal al gusto

125 g / 4½ oz de semillas de mostaza, molidas en trozos grandes

3 cucharadas de agua

180g / 6½ oz de azúcar moreno rallado*

1 cucharadita de chile en polvo

1½ cucharada de aceite vegetal refinado

1 cucharadita de semillas de mostaza

½ cucharadita de asafétida

½ cucharadita de cúrcuma

Método

- Frote las rodajas de mango con sal. Dejar de lado.
- Mezclar la mostaza molida con media cucharadita de sal y el agua.
- Mezclar bien esto con las rodajas de mango, junto con el azúcar moreno y el chile en polvo.
- Calentar el aceite en una cacerola. Agregue las semillas de mostaza, asafétida y cúrcuma. Déjelos chisporrotear durante 15 segundos.

- Retirar del fuego y verter este aceite sobre la mezcla de mango. Mezclar bien.
- Deje enfriar y almacene en un frasco limpio y seco.

NOTA: *Esto se puede guardar en el frigorífico durante un mes.*

Pepinillo de berenjena

Ingredientes

120ml / 4fl oz de aceite vegetal refinado

1 cucharadita de semillas de mostaza

1 cucharadita de semillas de fenogreco

2 cucharaditas de comino molido

Jengibre de raíz de 2,5 cm / 1 pulgada, finamente picado

12 dientes de ajo finamente picados

4 chiles verdes finamente picados

500 g / 1 libra 2 oz de berenjena, picada en trozos de 2,5 cm / 1 pulgada

125 g / 4½ oz de azúcar

120ml / 4fl oz de vinagre de malta

Sal al gusto

Método

- Calentar el aceite en una cacerola. Agregue las semillas de mostaza, semillas de fenogreco y comino molido.
- Déjelos chisporrotear durante 15 segundos. Agrega el jengibre, el ajo y los chiles verdes. Freír a fuego lento durante un minuto.
- Agrega los trozos de berenjena. Mezclar bien para cubrir con el aceite. Cocine durante 3-4 minutos a fuego medio, revolviendo bien.
- Agrega el azúcar, el vinagre y la sal. Cocinar a fuego lento hasta que los trozos de berenjena se ablanden. Deje que se evapore cualquier líquido extra.
- Retirar del fuego y dejar enfriar.
- Almacene en un frasco limpio y seco.

NOTA: *Esto se puede guardar en el frigorífico durante un mes.*

Hojas de curry encurtido seco

Ingredientes

25 g / escasa 1 oz de hojas de curry, tostadas en seco

250 g / 9 oz de kaala chana*, asado

1 cucharada de azúcar

8 chiles rojos secos

Sal al gusto

Método

- Triturar en seco todos los ingredientes juntos.
- Almacene en un frasco limpio y seco.

NOTA: *Esto se puede guardar en el frigorífico durante un mes.*

Pepinillo de tomate

Ingredientes

240ml / 6fl oz de aceite vegetal refinado

1 cucharadita de semillas de mostaza

¼ de cucharadita de semillas de fenogreco

1 cucharadita de semillas de comino

½ cucharadita de cúrcuma

8 hojas de curry

2 cucharaditas de pasta de jengibre

2 cucharaditas de pasta de ajo

2 chiles rojos, cortados a lo largo

4 tomates, escaldados, sin piel y picados

250ml / 8fl oz de vinagre de malta

250 g / 9 oz de azúcar

Sal al gusto

Método

- Calentar el aceite en una cacerola. Agregue las semillas de mostaza, semillas de fenogreco, semillas de comino, cúrcuma, hojas de curry, pasta de jengibre, pasta de ajo y los chiles rojos. Freír durante 30 segundos.
- Agrega los tomates. Mezclar bien.
- Agrega el vinagre, el azúcar y la sal. Cocine a fuego lento durante 20 minutos.
- Retirar del fuego y dejar enfriar la mezcla. Almacene en un frasco limpio y seco.

NOTA: *Esto se puede guardar en el frigorífico durante un mes.*

Empanada crujiente de espinacas

Hace 12

Ingredientes

1 cucharada de aceite vegetal refinado más extra para freír

1 cebolla grande, finamente picada

50g / 1¾oz de espinacas, hervidas y finamente picadas

1 cucharadita de pasta de ajo

1 cucharadita de pasta de jengibre

Sal al gusto

Paneer 300g / 10oz*, Cortado

2 huevos batidos

2 cucharadas de harina blanca sin sabor

Pimienta al gusto

Sal al gusto

50g / 1¾oz de pan rallado

Método

- Calentar el aceite en una sartén. Freír la cebolla a fuego medio hasta que esté transparente.
- Agrega las espinacas, la pasta de ajo, la pasta de jengibre y la sal. Cocine por 2-3 minutos.

- Retirar del fuego y agregar el paneer. Mezclar bien y dividir en hamburguesas cuadradas. Cubra con papel aluminio y refrigere por 30 minutos.
- Mezcle los huevos, la harina, la pimienta y la sal para formar una masa suave.
- Calentar el aceite restante en una sartén. Sumerja cada hamburguesa de paneer en la masa, enrolle el pan rallado y fríalo hasta que se doren.
- Sirva caliente con chutney de ajo seco.

Rava Dosa

(Crepe de sémola)

Hace 10-12

Ingredientes

100g / 3½ oz de sémola

85 g / 3 oz de harina blanca sin sabor

Pizca de bicarbonato de sodio

250 g / 9 oz de yogur

240ml / 8fl oz de agua

Sal al gusto

Aceite vegetal refinado para engrasar

Método

- Mezcle todos los ingredientes, excepto el aceite, para formar una masa con la consistencia de una mezcla para panqueques. Dejar reposar durante 20-30 minutos.
- Engrasar y calentar una sartén plana. Vierta 2 cucharadas de masa en él. Extienda levantando la sartén y girándola suavemente.
- Vierta un poco de aceite alrededor de los bordes.
- Cocine por 3 minutos. Voltee y cocine hasta que esté crujiente.

- Repita para el resto de la masa.
- Sirva caliente con chutney de coco.

Chuleta Doodhi

(Chuleta de calabaza de botella)

Hace 20

Ingredientes

1 cucharada de aceite vegetal refinado más extra para freír

1 cebolla grande picada

4 chiles verdes finamente picados

Jengibre de raíz de 2,5 cm / 1 pulgada, rallado

1 calabaza de botella grande*, pelado y rallado

Sal al gusto

2 huevos batidos

100 g / 3½ oz de pan rallado

Para la salsa blanca:

2 cucharadas de margarina / mantequilla

4 cucharadas de harina

Sal al gusto

Pimienta al gusto

1 cucharada de crema

Método

- Para la salsa blanca, caliente la margarina / mantequilla en una cacerola. Agregue todos los ingredientes restantes de la salsa blanca y revuelva a fuego medio hasta que esté espeso y cremoso. Dejar de lado.
- Calentar el aceite en una sartén. Freír la cebolla, los chiles verdes y el jengibre a fuego medio durante 2-3 minutos.
- Agrega la calabaza de botella y la sal. Mezclar bien. Cubra con una tapa y cocine durante 15-20 minutos a fuego medio.
- Destape y triture bien la calabaza de botella. Agrega la salsa blanca y la mitad de los huevos batidos. Deje reposar durante 20 minutos para que se endurezca y cuaje.
- Pica la mezcla en chuletas.
- Calentar el aceite en una cacerola. Sumerja cada chuleta en el huevo batido restante, enrolle el pan rallado y fríalo hasta que esté dorado.
- Sirva caliente con chutney de tomate dulce

Patra

(Molinillo de hojas de Colocasia)

Hace 20

Ingredientes

10 hojas de colocasia*

2 cucharadas de aceite vegetal refinado

½ cucharadita de semillas de mostaza

1 cucharadita de semillas de sésamo

1 cucharadita de semillas de comino

8 hojas de curry

2 cucharadas de hojas de cilantro finamente picadas

Para la masa:

250 g / 9 oz de besan*

4 cucharadas de azúcar moreno*, rallado

1 cucharadita de pasta de tamarindo

½ cucharadita de pasta de jengibre

½ cucharadita de pasta de ajo

1 cucharadita de chile en polvo

½ cucharadita de cúrcuma

Sal al gusto

Método

- Mezcle todos los ingredientes de la masa para formar una masa espesa.
- Extienda una capa de la masa en cada hoja de colocasia para cubrirla por completo.
- Coloque 5 hojas recubiertas una encima de la otra.
- Dobla las hojas a 2,5 cm de cada esquina para formar un cuadrado. Enrolle este cuadrado en un cilindro.
- Repita para las otras 5 hojas.
- Cocine los rollos al vapor durante unos 20-25 minutos. Dejar enfriar.
- Corta cada rollo en forma de molinete. Dejar de lado.
- Calentar el aceite en una cacerola. Agregue la mostaza, las semillas de sésamo, las semillas de comino y las hojas de curry. Déjelos chisporrotear durante 15 segundos.
- Vierta esto sobre los molinetes.
- Adorna con las hojas de cilantro. Servir caliente.

Brocheta de pollo Nargisi

(Brocheta de Pollo y Queso)

Rinde 20-25

Ingredientes

500 g / 1 lb 2 oz de pollo, picado

150 g / 5½ oz de queso cheddar rallado

2 cebollas grandes, finamente picadas

1 cucharadita de pasta de jengibre

1 cucharadita de pasta de ajo

1 cucharadita de cardamomo molido

2 cucharaditas de garam masala

1 cucharadita de cilantro molido

½ cucharadita de cúrcuma

½ cucharadita de chile en polvo

Sal al gusto

15-20 pasas

Aceite vegetal refinado para freír

Método

- Amasar todos los ingredientes, excepto las pasas y el aceite, hasta formar una masa.
- Haz pequeñas albóndigas. Coloque una pasa en el centro de cada bola de masa.
- Calentar el aceite en una sartén. Freír las albóndigas a fuego medio hasta que estén doradas. Sirva caliente con chutney de menta

Sev Puris con aderezo sabroso

Para 4 personas

Ingredientes

24 sev puris*

2 patatas, cortadas en cubitos y hervidas

1 cebolla grande, finamente picada

¼ de mango verde pequeño sin madurar, finamente picado

120ml / 4fl oz de chutney agrio y picante

4 cucharadas de chutney de menta

1 cucharadita de chaat masala*

Jugo de 1 limón

Sal al gusto

150g / 5½ oz sev*

2 cucharadas de hojas de cilantro picadas

Método

- Coloca los puris en un plato para servir.
- Coloque porciones pequeñas de las papas, la cebolla y el mango en cada puri.
- Espolvoree el chutney agrio y picante y el chutney de menta encima de cada puri.
- Espolvorea el chaat masala, el jugo de limón y la sal por encima.
- Adorne con el sev y las hojas de cilantro. Servir inmediatamente.

Rollo especial

Hace 4

Ingredientes

1 cucharadita de levadura

una pizca de azúcar

240ml / 8fl oz de agua tibia

350 g / 12 oz de harina blanca sin sabor

½ cucharadita de levadura en polvo

2 cucharadas de mantequilla

1 cebolla grande, finamente picada

2 tomates, finamente picados

30 g / 1 oz de hojas de menta, finamente picadas

200g / 7oz de espinacas, hervidas

Paneer 300g / 10oz*, cortado en cubitos

Sal al gusto

Pimienta negra molida al gusto

125 g / 4½ oz de puré de tomate

1 huevo batido

Método

- Disuelva la levadura y el azúcar en el agua.
- Tamizar la harina y el polvo de hornear juntos. Mezclar con la levadura y amasar hasta formar una masa.
- Con un rodillo, extienda la masa en 2 chapatis. Dejar de lado.
- Calentar la mitad de la mantequilla en una cacerola. Agrega la cebolla, los tomates, las hojas de menta, las espinacas, el paneer, la sal y la pimienta negra. Sofría a fuego medio durante 3 minutos.
- Extienda esto sobre 1 chapatti. Verter encima el puré de tomate y cubrir con el resto de chapatti. Selle los extremos.
- Unta los chapatis con el huevo y la mantequilla restante.
- Hornee en un horno a 150ºC (300ºF, Gas Mark 2) durante 10 minutos. Servir caliente.

Colocasia frita

Para 4 personas

Ingredientes

500g / 1lb 2 oz de colocasia*

2 cucharadas de cilantro molido

1 cucharada de comino molido

1 cucharada de amchoor*

2 cucharaditas de besan*

Sal al gusto

Aceite vegetal refinado para freír

Chaat Masala*, probar

1 cucharada de hojas de cilantro picadas

½ cucharadita de jugo de limón

Método

- Hervir la colocasia en una cacerola durante 15 minutos a fuego lento. Enfriar, pelar, cortar a lo largo y aplanar. Dejar de lado.
- Mezclar el cilantro molido, el comino molido, el amchoor, el besan y la sal. Enrolle los trozos de colocasia en esta mezcla. Dejar de lado.
- Calentar el aceite en una cacerola. Freír la colocasia hasta que esté crujiente, luego escurrir.
- Espolvorea con los ingredientes restantes. Servir caliente.

Mixto Dhal Dosa

(Crepe de Lentejas Mixtas)

Rinde 8-10

Ingredientes

250 g de arroz, remojado durante 5-6 horas

100 g / 3½ oz de mung dhal*, remojado durante 5-6 horas

100 g / 3½ oz de chana dhal*, remojado durante 5-6 horas

100 g / 3½ oz de urad dhal*, remojado durante 5-6 horas

2 cucharadas de yogur

½ cucharadita de bicarbonato de sodio

2 cucharadas de aceite vegetal refinado más extra para freír

Sal al gusto

Método

- Moler en húmedo el arroz y los dhals por separado. Mezclar todo junto. Agrega el yogur, el bicarbonato de sodio, el aceite y la sal. Batir hasta que quede esponjoso y ligero. Dejar reposar durante 3-4 horas.
- Engrasar y calentar una sartén plana. Vierta 2 cucharadas de masa sobre él y extiéndalo como una crepe. Vierta un poco de aceite alrededor de los bordes. Cocine por 2 minutos. Servir caliente.

Tortas De Makkai

(Pasteles de maíz)

Rinde 12-15

Ingredientes

4 mazorcas de maíz frescas

2 cucharadas de mantequilla

750ml / 1¼ pintas de leche

½ cucharadita de chile en polvo

Sal al gusto

Pimienta negra molida al gusto

25g / escasa 1 oz de hojas de cilantro, picadas

50g / 1¾oz de pan rallado

Método

- Retire los granos de las mazorcas de maíz y muélalos en trozos grandes.
- Calentar la mantequilla en una cacerola y freír el maíz molido durante 2-3 minutos a fuego medio. Agregue la leche y cocine a fuego lento hasta que se seque.
- Agrega la guindilla en polvo, la sal, la pimienta negra y las hojas de cilantro.
- Agrega el pan rallado y mezcla bien. Divida la mezcla en pequeñas hamburguesas.
- Calentar la mantequilla en una sartén. Freír las hamburguesas hasta que estén doradas. Sirva caliente con salsa de tomate.

Hara Bhara Kebab

(Kebab de verduras verdes)

Para 4 personas

Ingredientes

300g / 10oz de chana dhal*, empapado durante la noche

2 vainas de cardamomo verde

2,5 cm / 1 pulgada de canela

Sal al gusto

60ml / 2fl oz de agua

200g / 7oz de espinacas, al vapor y molidas

½ cucharadita de garam masala

¼ de cucharadita de macis, rallado

Aceite vegetal refinado para freír

Método

- Escurre el dhal. Agrega el cardamomo, el clavo, la canela, la sal y el agua. Cocine en una cacerola a fuego medio hasta que esté suave. Moler hasta obtener una pasta.
- Agrega todos los ingredientes restantes, excepto el aceite. Mezclar bien. Divida la mezcla en bolitas del

tamaño de un limón y aplaste cada una en pequeñas hamburguesas.

- Calentar el aceite en una sartén. Freír las hamburguesas a fuego medio hasta que se doren. Sirva caliente con chutney de menta

Pescado Pakoda

(Pescado frito rebozado)

Hace 12

Ingredientes

300 g / 10 oz de pescado deshuesado, picado en trozos de 2,5 cm / 1 pulgada

Sal al gusto

2 cucharaditas de jugo de limón

3 cucharadas de agua

250 g / 9 oz de besan*

1 cucharadita de pasta de ajo

2 chiles verdes finamente picados

1 cucharadita de garam masala

½ cucharadita de cúrcuma

Aceite vegetal refinado para freír

Método

- Marina el pescado con la sal y el jugo de limón durante 20 minutos.
- Mezcle los ingredientes restantes, excepto el aceite, para hacer una masa espesa.
- Calentar el aceite en una cacerola. Sumerja cada trozo de pescado en la masa y fríalo hasta que esté dorado. Escurrir sobre papel absorbente. Servir caliente.

Shammi Kebab

(Kebab de gramo de Bengala y carne picada)

Hace 35

Ingredientes

750 g / 1 lb 10 oz de pollo, picado

600g / 1lb 5oz chana dhal*

3 cebollas grandes, picadas

1 cucharadita de pasta de jengibre

1 cucharadita de pasta de ajo

2,5 cm / 1 pulgada de canela

4 dientes

2 vainas de cardamomo negro

7 granos de pimienta

1 cucharadita de comino molido

Sal al gusto

450ml / 15fl oz de agua

2 huevos batidos

Aceite vegetal refinado para freír

Método

- Mezclar todos los ingredientes, excepto los huevos y el aceite. Hervir en una cacerola hasta que se evapore toda el agua. Triturar hasta obtener una pasta espesa.
- Agrega los huevos a la pasta. Mezclar bien. Divida la mezcla en 35 hamburguesas.
- Calentar el aceite en una sartén. Freír las hamburguesas a fuego lento hasta que estén doradas.
- Sirva caliente con chutney de menta

Dhokla básico

(Pastel básico al vapor)

Rinde 18-20

Ingredientes

250 g de arroz

450 g / 1 libra de chana dhal*

60 g / 2 oz de yogur

¼ de cucharadita de bicarbonato de sodio

6 chiles verdes picados

Jengibre de raíz de 1 cm / ½ pulgada, rallado

¼ de cucharadita de cilantro molido

¼ de cucharadita de comino molido

½ cucharadita de cúrcuma

Sal al gusto

½ coco rallado

150g / 5½ oz de hojas de cilantro, finamente picadas

1 cucharada de aceite vegetal refinado

½ cucharadita de semillas de mostaza

Método

- Remojar el arroz y el dhal juntos durante 6 horas. Triturar toscamente.
- Agrega el yogur y el bicarbonato de sodio. Mezclar bien. Deje que la pasta fermente durante 6-8 horas.
- Agregue los chiles verdes, el jengibre, el cilantro molido, el comino molido, la cúrcuma y la sal a la masa. Mezclar bien.
- Vierta en un molde para pastel redondo de 20 cm / 8 pulgadas. Cocine al vapor la masa durante 10 minutos.
- Dejar enfriar y picar en trozos cuadrados. Espolvoree el coco rallado y las hojas de cilantro por encima. Dejar de lado.
- Calentar el aceite en una cacerola. Agrega las semillas de mostaza. Déjelos chisporrotear durante 15 segundos.
- Vierta esto sobre los dhoklas. Servir caliente.

Adai

(Crêpe de Arroz y Lentejas)

Hace 12

Ingredientes

125 g / 4½ oz de arroz

75 g / 2½ oz de urad dhal*

75g / 2½ oz de chana dhal*

75g / 2½ oz masoor dhal*

75 g / 2½ oz de mung dhal*

6 chiles rojos

Sal al gusto

240ml / 8fl oz de agua

Aceite vegetal refinado para engrasar

Método

- Remoja el arroz con todos los dhals durante la noche.
- Escurre la mezcla y agrega los chiles rojos, la sal y el agua. Muela hasta que quede suave.
- Engrasar y calentar una sartén plana. Extienda 3 cucharadas de la masa sobre ella. Tape y cocine a fuego medio durante 2-3 minutos. Voltee y cocine el otro lado.
- Retirar con cuidado con una espátula. Repita para el resto de la masa. Servir caliente.

Dhokla de dos pisos

(Pastel de dos pisos al vapor)

Hace 20

Ingredientes

500 g / 1 libra 2 oz de arroz

300g / 10oz de frijoles urad*

75 g / 2½ oz de urad dhal*

75g / 2½ oz de chana dhal*

75g / 2½ oz masoor dhal*

2 chiles verdes

500 g / 1 libra 2 oz de yogur

1 cucharadita de chile en polvo

½ cucharadita de cúrcuma

Sal al gusto

115 g / 4 oz de salsa picante de menta

Método

- Mezcle el arroz y los frijoles urad. Remojar durante la noche.
- Mezclar todos los dhals. Remojar durante la noche.
- Escurre y muele la mezcla de arroz y la mezcla de dhal por separado. Dejar de lado.
- Mezcle las guindillas verdes, el yogur, la guindilla en polvo, la cúrcuma y la sal. Agregue la mitad de esta mezcla a la mezcla de arroz y agregue el resto a la mezcla dhal. Deje fermentar durante 6 horas.
- Engrase un molde para pastel redondo de 20 cm. Vierta la mezcla de arroz en ella. Espolvoree la salsa picante de menta sobre la mezcla de arroz. Vierta la mezcla de dhal encima.
- Cocine al vapor durante 7-8 minutos. Picar y servir caliente.

Ulundu Vada

(Bocadillo frito en forma de rosquilla)

Hace 12

Ingredientes

600 g / 1 libra 5 oz de urad dhal*, remojado durante la noche y escurrido

4 chiles verdes finamente picados

Sal al gusto

3 cucharadas de agua

Aceite vegetal refinado para freír

Método

- Muela el dhal con los chiles verdes, la sal y el agua.
- Forma donas con la mezcla.
- Calentar el aceite en una cacerola. Agrega las vadas y sofríe a fuego medio hasta que se doren.
- Escurrir sobre papel absorbente. Sirva caliente con chutney de coco.

Bhakar Wadi

(Molinillo de harina de gramo picante)

Para 4 personas

Ingredientes

500g / 1lb 2oz besan*

175 g / 6 oz de harina integral

Sal al gusto

Pizca de asafétida

120 ml / 4 fl oz de aceite vegetal refinado tibio más extra para freír

100g / 3½ oz de coco desecado

1 cucharadita de semillas de sésamo

1 cucharadita de semillas de amapola

una pizca de azúcar

1 cucharadita de chile en polvo

25g / escasa 1 oz de hojas de cilantro, finamente picadas

1 cucharada de pasta de tamarindo

Método

- Amasar el besan, la harina, la sal, la asafétida, el aceite tibio y suficiente agua hasta obtener una masa firme. Dejar de lado.

- Ase en seco el coco, las semillas de sésamo y las semillas de amapola durante 3-5 minutos. Triturar hasta obtener un polvo.
- Agrega el azúcar, la sal, la guindilla en polvo, las hojas de cilantro y la pasta de tamarindo al polvo y mezcla bien para preparar el relleno. Dejar de lado.
- Divide la masa en bolitas del tamaño de un limón. Enrolle cada uno en un disco delgado.
- Extienda el relleno en cada disco para que el relleno cubra todo el disco. Enrolle cada uno en un cilindro apretado. Sella los bordes con un poco de agua.
- Corta los cilindros para obtener formas en forma de molinete.
- Calentar el aceite en una cacerola. Agregue los rollos de molinillo y fría a fuego medio hasta que estén crujientes.
- Escurrir sobre papel absorbente. Almacenar en un recipiente hermético una vez enfriado.

NOTA: Estos se pueden almacenar durante quince días.

Chaat mangaloreano

Para 4 personas

Ingredientes

75g / 2½ oz de chana dhal*

240ml / 8fl oz de agua

Sal al gusto

Gran pizca de bicarbonato de sodio

2 papas grandes, finamente picadas y hervidas

350 g / 12 oz de yogur fresco

2 cucharadas de azúcar en polvo

4 cucharadas de aceite vegetal refinado

1 cucharada de hojas secas de fenogreco

1 cucharadita de pasta de jengibre

1 cucharadita de pasta de ajo

2 chiles verdes

1 cucharadita de comino molido, tostado en seco

1 cucharadita de garam masala

1 cucharada de amchoor*

1 cucharadita de cúrcuma

½ cucharadita de chile en polvo

150g / 5½ oz de garbanzos enlatados

1 cebolla grande, finamente picada

2 cucharadas de hojas de cilantro finamente picadas

Método

- Cuece el dhal con el agua, la sal y el bicarbonato de sodio en una cacerola a fuego medio durante 30 minutos. Agregue más agua si el dhal se siente demasiado seco. Mezclar las patatas con la mezcla de dhal y reservar.
- Batir el yogur con el azúcar. Coloque en el congelador para enfriar.
- Calentar el aceite en una cacerola. Agrega las hojas de fenogreco y fríe a fuego medio durante 3-4 minutos.
- Agregue la pasta de jengibre, la pasta de ajo, los chiles verdes, el comino molido, el garam masala, el amchoor, la cúrcuma y el ají en polvo. Freír durante 2-3 minutos, revolviendo continuamente.
- Agrega los garbanzos. Saltee durante 5 minutos, revolviendo continuamente. Agregue la mezcla de dhal y mezcle bien.
- Retirar del fuego y esparcir la mezcla en una fuente para servir.
- Vierta el yogur dulce encima.
- Espolvorear con la cebolla y las hojas de cilantro. Servir inmediatamente.

Pani Puri

Hace 30

Ingredientes

Para los puris:

175 g / 6 oz de harina blanca sin sabor

100g / 3½ oz de sémola

Sal al gusto

Aceite vegetal refinado para freír

Para el relleno:

50 g / 1¾oz de frijoles mungo germinados

150g / 5½ oz de garbanzos germinados

Sal al gusto

2 papas grandes, hervidas y machacadas

Para el pani:

2 cucharadas de pasta de tamarindo

100 g / 3½ oz de hojas de cilantro, finamente picadas

1½ cucharadita de comino molido, tostado en seco

2-4 chiles verdes finamente picados

2,5 cm / 1 pulgada de raíz de jengibre

Sal de roca al gusto

240ml / 8fl oz de agua

Método

- Amasar todos los ingredientes puri, excepto el aceite, con suficiente agua para formar una masa firme.
- Estirar en puris pequeños de 5 cm / 2 pulgadas de diámetro.
- Calentar el aceite en una sartén. Fríe los puris hasta que estén ligeramente dorados. Dejar de lado.
- Para el relleno, sancoche los frijoles mungo germinados y los garbanzos con la sal. Mezclar con las patatas. Dejar de lado.
- Para el pani, muele todos los ingredientes del pani, excepto el agua.
- Agrega esta mezcla al agua. Mezcle bien y deje reposar.
- Para servir, haga un agujero en cada puri y rellénelo con el relleno. Vierta 3 cucharadas de pani en cada uno y sirva inmediatamente.

Huevo Relleno De Espinacas

Para 4 personas

Ingredientes

200 g / 7 oz de espinacas

Pizca de bicarbonato de sodio

1 cucharada de aceite vegetal refinado

1 cucharadita de semillas de comino

6 dientes de ajo machacados

2 chiles verdes, molidos

Sal al gusto

8 huevos duros, cortados por la mitad a lo largo

1 cucharada de ghee

1 cebolla finamente picada

2,5 cm / 1 pulgada de jengibre de raíz, picado

Método

- Mezclar las espinacas con el bicarbonato de sodio. Cocine al vapor hasta que esté tierno. Triturar y reservar.
- Calentar el aceite en una cacerola. Cuando empiece a humear, agregue las semillas de comino, el ajo y los chiles verdes. Sofreír durante unos segundos. Agrega las espinacas al vapor y la sal.
- Cubra con una tapa y cocine hasta que se seque. Dejar de lado.
- Saque las yemas de los huevos. Agrega las yemas de huevo a la mezcla de espinacas. Mezclar bien.
- Coloque cucharadas de la mezcla de espinacas y huevo en las claras de huevo huecas. Dejar de lado.
- Calentar el ghee en una sartén pequeña. Freír la cebolla y el jengibre hasta que se doren.
- Espolvorea esto sobre los huevos. Servir caliente.

Sada Dosa

(Crepe de arroz salado)

Rinde 15

Ingredientes

100 g / 3½ oz de arroz sancochado

75 g / 2½ oz de urad dhal*

½ cucharadita de semillas de fenogreco

½ cucharadita de bicarbonato de sodio

Sal al gusto

125 g / 4½ oz de yogur, batido

60ml / 2fl oz de aceite vegetal refinado

Método

- Remojar el arroz y el dhal junto con las semillas de fenogreco durante 7-8 horas.
- Escurrir y triturar la mezcla hasta obtener una pasta granulada.
- Agregue bicarbonato de sodio y sal. Mezclar bien.
- Dejar fermentar durante 8-10 horas.
- Agrega el yogur para hacer la masa. Esta masa debe ser lo suficientemente espesa como para cubrir una cuchara. Agregue un poco de agua si es necesario. Dejar de lado.

- Engrasar y calentar una sartén plana. Extienda una cucharada de la masa encima para hacer una crepe fina. Vierta 1 cucharadita de aceite encima. Cocine hasta que esté crujiente. Repita para el resto de la masa y sirva caliente.

Patata Samosa

(Patata Salada)

Hace 20

Ingredientes

175 g / 6 oz de harina blanca sin sabor

Pizca de sal

5 cucharadas de aceite vegetal refinado más extra para freír

100ml / 3½ fl oz de agua

Jengibre de raíz de 1 cm / ½ pulgada, rallado

2 chiles verdes finamente picados

2 dientes de ajo finamente picados

½ cucharadita de cilantro molido

1 cebolla grande, finamente picada

2 papas grandes, hervidas y machacadas

1 cucharada de hojas de cilantro finamente picadas

1 cucharada de jugo de limón

½ cucharadita de cúrcuma

1 cucharadita de chile en polvo

½ cucharadita de garam masala

Sal al gusto

Método

- Mezclar la harina con la sal, 2 cucharadas de aceite y agua. Amasar hasta obtener una masa flexible. Cubra con un paño húmedo y deje reposar durante 15-20 minutos.
- Amasar nuevamente la masa. Cubrir con un paño húmedo y reservar.
- Para el relleno, caliente 3 cucharadas de aceite en una sartén. Agrega el jengibre, los chiles verdes, el ajo y el cilantro molido. Freír durante un minuto a fuego medio, revolviendo continuamente.
- Agrega la cebolla y sofríe hasta que se dore.
- Agrega las papas, las hojas de cilantro, el jugo de limón, la cúrcuma, la guindilla en polvo, el garam masala y la sal. Mezclar bien.
- Cocine a fuego lento durante 4 minutos, revolviendo de vez en cuando. Dejar de lado.
- Para hacer las samosas, divide la masa en 10 bolas. Estirar en discos de 12 cm / 5 pulgadas de diámetro. Corta cada disco en 2 medias lunas.
- Pase un dedo húmedo a lo largo del diámetro de una media luna. Junta los extremos para formar un cono.
- Coloque una cucharada del relleno en el cono y selle presionando los bordes juntos. Repita para todas las medias lunas.
- Calentar el aceite en una sartén. Fríe las samosas, cinco a la vez, a fuego lento hasta que se doren. Escurrir sobre papel absorbente.
- Sirva caliente con chutney de menta

Caliente Kachori

(Bola de masa frita con relleno de lentejas)

Rinde 15

Ingredientes

250 g / 9 oz de harina blanca normal más 1 cucharada para el parche

5 cucharadas de aceite vegetal refinado más extra para freír

Sal al gusto

1,4 litros / 2½ pintas de agua más 1 cucharada para parchear

300 g / 10 oz de mung dhal*, remojado durante 30 minutos

½ cucharadita de cilantro molido

½ cucharadita de hinojo molido

½ cucharadita de semillas de comino

½ cucharadita de semillas de mostaza

2-3 pizcas de asafétida

1 cucharadita de garam masala

1 cucharadita de chile en polvo

Método

- Mezcle 250 g de harina con 3 cucharadas de aceite, sal y 100 ml de agua. Amasar hasta obtener una masa suave y flexible. Dejar reposar por 30 minutos.
- Para hacer el relleno, cuece el dhal con el agua restante en una cacerola a fuego medio durante 45 minutos. Escurrir y reservar.
- Caliente 2 cucharadas de aceite en una cacerola. Cuando comience a humear, agregue el cilantro molido, el hinojo, las semillas de comino, las semillas de mostaza, la asafétida, el garam masala, la guindilla en polvo y la sal. Déjalos chisporrotear durante 30 segundos.
- Agrega el dhal cocido. Mezclar bien y freír durante 2-3 minutos, revolviendo continuamente.
- Enfríe la mezcla de dhal y divídala en 15 bolas del tamaño de un limón. Dejar de lado.
- Mezcle 1 cucharada de harina con 1 cucharada de agua para hacer una pasta para parchear. Dejar de lado.
- Divide la masa en 15 bolas. Estirar en discos de 12 cm / 5 pulgadas de diámetro.
- Coloque 1 bola del relleno en el centro de un disco. Selle como una bolsa.
- Aplanar ligeramente presionando entre las palmas. Repita para los discos restantes.
- Calentar el aceite en una cacerola hasta que empiece a humear. Freír los discos hasta que estén dorados por la parte inferior. Voltea y repite.
- Si un kachori se rompe mientras se fríe, séllelo con la pasta de parche.

- Escurrir sobre papel absorbente. Sirva caliente con chutney de menta

Khandvi

(Besan Roll-Ups)

Rinde 10-15

Ingredientes

60 g / 2 oz de besan*

60 g / 2 oz de yogur

120ml / 4fl oz de agua

1 cucharadita de cúrcuma

Sal al gusto

5 cucharadas de aceite vegetal refinado

1 cucharada de coco fresco rallado

1 cucharada de hojas de cilantro finamente picadas

½ cucharadita de semillas de mostaza

2 pizcas de asafétida

8 hojas de curry

2 chiles verdes finamente picados

1 cucharadita de semillas de sésamo

Método

- Mezcle el besan, el yogur, el agua, la cúrcuma y la sal.
- Caliente 4 cucharadas de aceite en una sartén. Agregue la mezcla de besan y cocine, revolviendo continuamente para asegurarse de que no se formen grumos.
- Cocine hasta que la mezcla salga de los lados de la sartén. Dejar de lado.
- Engrase dos bandejas para hornear antiadherentes de 15 × 35 cm / 6 × 14 pulgadas. Vierta la mezcla de besan y alise con una espátula. Deje reposar durante 10 minutos.
- Corta la mezcla en tiras de 5 cm de ancho. Enrolle con cuidado cada tira.
- Coloque los panecillos en una fuente para servir. Espolvorea el coco rallado y las hojas de cilantro por encima. Dejar de lado.
- Caliente 1 cucharada de aceite en una cacerola pequeña. Agregue las semillas de mostaza, asafétida, hojas de curry, guindillas verdes y semillas de sésamo. Déjelos chisporrotear durante 15 segundos.
- Vierta esto inmediatamente sobre los panecillos besan. Servir caliente oa temperatura ambiente.

Cuadrados de Makkai

(Cuadrados de maíz)

Hace 12

Ingredientes

2 cucharaditas de ghee

100 g / 3½ oz de granos de maíz, molidos

Sal al gusto

125 g / 4½ oz de guisantes hervidos

3 cucharadas de aceite vegetal refinado

8 chiles verdes, finamente picados

½ cucharadita de semillas de comino

½ cucharadita de semillas de mostaza

½ cucharadita de pasta de ajo

½ cucharada de cilantro molido

½ cucharada de comino molido

175g / 6oz de harina de maíz

175 g / 6 oz de harina integral

150ml / 5fl oz de agua

Método

- Calentar el ghee en una cacerola. Cuando empiece a humear, sofreír el maíz durante 3 minutos. Dejar de lado.
- Agregue sal a los guisantes hervidos. Machaca bien los guisantes. Dejar de lado.
- Caliente 2 cucharadas de aceite en una sartén. Agrega los chiles verdes, el comino y las semillas de mostaza. Déjelos chisporrotear durante 15 segundos.
- Agregue el maíz frito, puré de guisantes, pasta de ajo, cilantro molido y comino molido. Mezclar bien. Sáquelo del fuego y apártelo.
- Mezclar ambas harinas juntas. Agrega sal y 1 cucharada de aceite. Agrega el agua y amasa hasta obtener una masa suave.
- Extienda 24 formas cuadradas, cada cuadrado de 10x10cm / 4x4in de tamaño.
- Coloque la mezcla de maíz y guisantes en el centro de un cuadrado y cubra con otro cuadrado. Presione suavemente los bordes del cuadrado para sellar.
- Repite para el resto de los cuadrados.
- Engrasar y calentar una sartén. Ase los cuadrados en la sartén hasta que estén dorados.
- Sirva caliente con salsa de tomate.

Dhal Pakwan

(Pan crujiente con lentejas)

Para 4 personas

Ingredientes

600g / 1lb 5oz chana dhal*

3 cucharadas de aceite vegetal refinado

1 cucharadita de semillas de comino

750ml / 1¼ pintas de agua

Sal al gusto

½ cucharadita de cúrcuma

½ cucharadita de amchoor*

10 g / ¼ oz de hojas de cilantro, finamente picadas

Para el pakwan:

250 g / 9 oz de harina blanca sin sabor

½ cucharadita de semillas de comino

Sal al gusto

Aceite vegetal refinado para freír

Método

- Remojar el chana dhal durante 4 horas. Escurrir y reservar.
- Calentar el aceite en una cacerola. Agrega las semillas de comino. Déjelos chisporrotear durante 15 segundos.
- Agrega el dhal remojado, el agua, la sal y la cúrcuma. Cocine a fuego lento durante 30 minutos.
- Transfiera a un plato para servir. Espolvorear con el amchoor y las hojas de cilantro. Dejar de lado.
- Amasar todos los ingredientes del pakwan, excepto el aceite, con suficiente agua para hacer una masa firme.
- Dividir en bolas del tamaño de una nuez. Estirar en discos gruesos de 10 cm de diámetro. Perfore todo con un tenedor.
- Calentar el aceite en una sartén. Freír los discos hasta que estén dorados. Escurrir sobre papel absorbente.
- Sirve los pakwans con el dhal caliente.

Sev picante

(Hojuelas de harina de gramo picante)

Para 4 personas

Ingredientes

500g / 1lb 2oz besan*

1 cucharadita de semillas de ajowan

1 cucharada de aceite vegetal refinado más extra para freír

¼ de cucharadita de asafétida

Sal al gusto

200ml / 7fl oz de agua

Método

- Amasar el besan con las semillas de ajowan, aceite, asafétida, sal y agua hasta obtener una masa pegajosa.
- Pon la masa en una manga pastelera.
- Calentar el aceite en una cacerola. Presiona la masa a través de la boquilla en forma de fideos en la sartén y sofríe por ambos lados.
- Escurrir bien y enfriar antes de guardar.

NOTA: *Esto se puede almacenar durante quince días.*

Crecientes de verduras rellenas

Rinde 6

Ingredientes

350 g / 12 oz de harina blanca sin sabor

6 cucharadas de aceite vegetal refinado tibio más extra para freír

Sal al gusto

1 tomate en rodajas

Para el llenado:

3 cucharadas de aceite vegetal refinado

200 g / 7 oz de guisantes

1 zanahoria cortada en juliana

100 g / 3½ oz de frijoles franceses, picados en tiras finas

4 cucharadas de coco fresco rallado

3 chiles verdes

Jengibre de raíz de 2,5 cm / 1 pulgada, triturado

4 cucharaditas de hojas de cilantro, finamente picadas

2 cucharaditas de azúcar

2 cucharaditas de jugo de limón

Sal al gusto

Método

- Primero haz el relleno. Calentar el aceite en una cacerola. Agregue los guisantes, la zanahoria y las judías verdes y fría, revolviendo continuamente, hasta que estén suaves.
- Agregue todos los ingredientes de relleno restantes y mezcle bien. Dejar de lado.
- Mezclar la harina con el aceite y la sal. Amasar hasta obtener una masa firme.
- Divide la masa en 6 bolitas del tamaño de un limón.
- Enrolle cada bola en un disco de 10 cm / 4 pulgadas de diámetro.
- Coloque el relleno de verduras en la mitad de un disco. Doble la otra mitad para cubrir el relleno y presione los bordes para sellar.
- Repita para todos los discos.
- Calentar el aceite en una cacerola. Agrega las medias lunas y fríe hasta que estén doradas.
- Colócalos en una fuente redonda y decora con las rodajas de tomate. Servir inmediatamente.

Kachori Usal

(Pan frito con garbanzos)

Para 4 personas

Ingredientes

Para la repostería:

50g / 1¾oz de hojas de fenogreco finamente picadas

175 g / 6 oz de harina integral

2 chiles verdes finamente picados

1 cucharadita de pasta de jengibre

¼ de cucharadita de cúrcuma

100ml / 3½ fl oz de agua

Sal al gusto

Para el llenado:

1 cucharadita de aceite vegetal refinado

250g / 9oz de frijoles mungo, hervidos

250g / 9oz de garbanzos verdes, hervidos

¼ de cucharadita de cúrcuma

½ cucharadita de chile en polvo

1 cucharadita de cilantro molido

1 cucharadita de comino molido

Sal al gusto

Para la salsa:

2 cucharaditas de aceite vegetal refinado

2 cebollas grandes, finamente picadas

2 tomates picados

1 cucharadita de pasta de ajo

½ cucharadita de garam masala

¼ de cucharadita de chile en polvo

Sal al gusto

Método

- Mezclar todos los ingredientes de la pastelería. Amasar hasta obtener una masa firme. Dejar de lado.
- Para el relleno, calentar el aceite en una sartén y sofreír todos los ingredientes del relleno a fuego medio durante 5 minutos. Dejar de lado.
- Para la salsa, calentar el aceite en una sartén. Agrega todos los ingredientes de la salsa. Freír durante 5 minutos, revolviendo de vez en cuando. Dejar de lado.
- Divide la masa en 8 porciones. Estire cada porción en un disco de 10 cm / 4 pulgadas de diámetro.
- Coloque un poco de relleno en el centro de un disco. Selle como una bolsa y alise para formar una bola de peluche. Repita para todos los discos.

- Cocine al vapor las bolas durante 15 minutos.
- Agregue las bolas a la salsa y revuelva para cubrir. Cocine a fuego lento durante 5 minutos.
- Servir caliente.

Dhal Dhokli

(Bocadillo sabroso gujarati)

Para 4 personas

Ingredientes

Para el dhokli:

175 g / 6 oz de harina integral

Pizca de cúrcuma

¼ de cucharadita de chile en polvo

½ cucharadita de semillas de ajowan

1 cucharadita de aceite vegetal refinado

100ml / 3½ fl oz de agua

Para el dhal:

2 cucharadas de aceite vegetal refinado

3-4 dientes

5 cm / 2 pulgadas de canela

1 cucharadita de semillas de mostaza

300g / 10oz masoor dhal*, cocido y triturado

½ cucharadita de cúrcuma

Pizca de asafétida

1 cucharada de pasta de tamarindo

2 cucharadas de azúcar moreno rallado*

60 g / 2 oz de maní

1 cucharadita de cilantro molido

1 cucharadita de comino molido

½ cucharadita de chile en polvo

Sal al gusto

25g / escasa 1 oz de hojas de cilantro, finamente picadas

Método

- Mezcle todos los ingredientes del dhokli. Amasar para formar una masa firme.
- Divide la masa en 5-6 bolas. Estirar en discos gruesos, de 6 cm / 2,4 pulgadas de diámetro. Dejar reposar durante 10 minutos para que se endurezca.
- Corta los discos dhokli en pedazos en forma de diamante. Dejar de lado.
- Para el dhal, calienta el aceite en una cacerola. Agrega el clavo, la canela y las semillas de mostaza. Déjelos chisporrotear durante 15 segundos.
- Agregue todos los ingredientes restantes del dhal, excepto las hojas de cilantro. Mezclar bien. Cocine a fuego alto hasta que el dhal comience a hervir.
- Agregue los trozos de dhokli al dhal hirviendo. Continúe cocinando a fuego lento durante 10 minutos.
- Adorna con las hojas de cilantro. Servir caliente.

Misal

(Refrigerio saludable de frijoles germinados)

Para 4 personas

Ingredientes

3-4 cucharadas de aceite vegetal refinado

½ cucharadita de semillas de mostaza

¼ de cucharadita de asafétida

6 hojas de curry

1 cucharadita de pasta de jengibre

1 cucharadita de pasta de ajo

25g / escasa 1 oz de hojas de cilantro, molidas en una licuadora

1 cucharadita de chile en polvo

1 cucharadita de pasta de tamarindo

2 cucharaditas de azúcar moreno rallado*

Sal al gusto

300 g / 10 oz de frijoles mungo germinados, hervidos

2 papas grandes, cortadas en cubitos y hervidas

500ml / 16fl oz de agua

Mezcla Bombay de 300 g / 10 oz*

1 tomate grande, finamente picado

1 cebolla grande, finamente picada

25g / escasa 1 oz de hojas de cilantro, finamente picadas

4 rebanadas de pan

Para la mezcla de especias:

1 cucharadita de semillas de comino

2 cucharaditas de semillas de cilantro

2 dientes

3 granos de pimienta

¼ de cucharadita de canela molida

Método

- Muele todos los ingredientes de la mezcla de especias. Dejar de lado.
- Calentar el aceite en una cacerola. Agrega las semillas de mostaza, la asafétida y las hojas de curry. Déjelos chisporrotear durante 2-3 minutos.
- Agregue la pasta de jengibre, la pasta de ajo, las hojas de cilantro molidas, el chile en polvo, la pasta de tamarindo, el azúcar moreno y la sal. Mezclar bien y cocinar durante 3-4 minutos.
- Agregue la mezcla de especias molidas. Saltee durante 2-3 minutos.
- Agregue los frijoles germinados, las papas y el agua. Mezcle bien y cocine a fuego lento durante 15 minutos.
- Transfiera a un tazón para servir y espolvoree con la Mezcla Bombay, el tomate picado, la cebolla picada y las hojas de cilantro por encima.
- Sirva caliente con una rebanada de pan a un lado.

Pandori

(Bocadillo de Mung Dhal)

Hace 12

Ingredientes

1 guindilla verde, cortada a la mitad a lo largo

Sal al gusto

1 cucharadita de bicarbonato de sodio

¼ de cucharadita de asafétida

250g / 9oz entero de mung dhal*, empapado durante 4 horas

2 cucharaditas de aceite vegetal refinado

2 cucharaditas de hojas de cilantro, finamente picadas

Método

- Agregue la guindilla verde, la sal, el bicarbonato de sodio y la asafétida al dhal. Moler hasta obtener una pasta.
- Engrase un molde redondo de 20 cm / 8 pulgadas con el aceite y vierta la pasta dhal en él. Cocine al vapor durante 10 minutos.
- Deja la mezcla de dhal al vapor a un lado durante 10 minutos. Una vez frío, córtelo en trozos de 2,5 cm.

- Adorna con las hojas de cilantro. Sirva caliente con chutney de coco verde

Adai vegetal

(Crêpe de Verduras, Arroz y Lentejas)

Rinde 8

Ingredientes

100 g / 3½ oz de arroz sancochado

150g / 5½ oz masoor dhal*

75 g / 2½ oz de urad dhal*

3-4 chiles rojos

¼ de cucharadita de asafétida

Sal al gusto

4 cucharadas de agua

1 cebolla finamente picada

½ zanahoria finamente picada

50g / 1¾oz de repollo,

4-5 hojas de curry finamente picadas

10 g / ¼ oz de hojas de cilantro, finamente picadas

4 cucharaditas de aceite vegetal refinado

Método

- Remoje el arroz y los dhals juntos durante unos 20 minutos.
- Escurrir y agregar los chiles rojos, la asafétida, la sal y el agua. Moler hasta obtener una pasta gruesa.
- Agrega la cebolla, la zanahoria, el repollo, las hojas de curry y las hojas de cilantro. Mezclar bien para obtener una masa con una consistencia similar a la masa de un bizcocho. Agrega más agua si la consistencia no es la adecuada.
- Engrasa una sartén plana. Vierta una cucharada de la masa. Unte con el dorso de una cuchara para hacer una crepe fina.
- Vierta media cucharadita de aceite alrededor de la crepe. Voltee para cocinar por ambos lados.
- Repita para el resto de la masa. Sirva caliente con chutney de coco.

Maíz en la mazorca picante

Para 4 personas

Ingredientes

8 mazorcas de maíz

Mantequilla salada al gusto

Sal al gusto

2 cucharaditas de chaat masala*

2 limones, cortados por la mitad

Método

- Ase las mazorcas de maíz en una parrilla de carbón o fuego abierto hasta que estén doradas por todas partes.
- Frote la mantequilla, la sal, el chaat masala y los limones en cada mazorca.
- Servir inmediatamente.

Chuleta de verduras mixtas

Hace 12

Ingredientes

Sal al gusto

¼ de cucharadita de pimienta negra molida

4-5 papas grandes, hervidas y machacadas

2 cucharadas de aceite vegetal refinado más extra para freír

1 cebolla pequeña finamente picada

½ cucharadita de garam masala

1 cucharadita de jugo de limón

100 g / 3½ oz de verduras mixtas congeladas

2-3 chiles verdes, finamente picados

50g / 1¾oz de hojas de cilantro, finamente picadas

250g / 9oz de arrurruz en polvo

150ml / 5fl oz de agua

100 g / 3½ oz de pan rallado

Método

- Agrega la sal y la pimienta negra a las papas. Mezclar bien y dividir en 12 bolas. Dejar de lado.
- Para el relleno, caliente 2 cucharadas de aceite en una sartén. Freír la cebolla a fuego medio hasta que esté transparente.
- Agregue el garam masala, el jugo de limón, las verduras mixtas, los chiles verdes y las hojas de cilantro. Mezclar bien y cocinar a fuego medio durante 2-3 minutos. Triturar bien y reservar.
- Aplana las bolas de patata con las palmas engrasadas.
- Coloque un poco de mezcla de relleno en cada hamburguesa de papa. Selle para hacer chuletas de forma oblonga. Dejar de lado.
- Mezcle el polvo de arrurruz con suficiente agua para formar una masa fina.
- Calentar el aceite en una sartén. Sumerja las chuletas en la masa, enrolle el pan rallado y fríalo a fuego medio hasta que se doren.
- Escurrir y servir caliente.

Idli Upma

(Bocadillo de pastel de arroz al vapor)

Para 4 personas

Ingredientes

5 cucharadas de aceite vegetal refinado

½ cucharadita de semillas de mostaza

½ cucharadita de semillas de comino

1 cucharadita de urad dhal*

2 chiles verdes, cortados a lo largo

8 hojas de curry

Pizca de asafétida

¼ de cucharadita de cúrcuma

8 idlis aplastados

2 cucharaditas de azúcar en polvo

1 cucharada de hojas de cilantro finamente picadas

Sal al gusto

Método

- Calentar el aceite en una cacerola. Agregue las semillas de mostaza, semillas de comino, urad dhal, chiles verdes, hojas de curry, asafétida y cúrcuma. Déjalos chisporrotear durante 30 segundos.
- Agrega el idlis triturado, el azúcar en polvo, el cilantro y la sal. Mezclar suavemente.
- Servir inmediatamente.

Dhal Bhajiya

(Bolas de lentejas fritas rebozadas)

Rinde 15

Ingredientes

250 / 9oz de mung dhal*, remojado durante 2-3 horas

2 chiles verdes finamente picados

2 cucharadas de hojas de cilantro finamente picadas

1 cucharadita de semillas de comino

Sal al gusto

Aceite vegetal refinado para freír

Método

- Escurre el dhal y tritúralo en trozos grandes.
- Agrega las guindillas, las hojas de cilantro, las semillas de comino y la sal. Mezclar bien.
- Calentar el aceite en una sartén. Agregue pequeñas porciones de la mezcla de dhal y fría a fuego medio hasta que se doren.
- Sirva caliente con chutney de menta

Masala Papad

(Poppadoms cubiertos con especias)

Rinde 8

Ingredientes

2 tomates, finamente picados

2 cebollas grandes, finamente picadas

3 chiles verdes finamente picados

10 g / ¼ oz de hojas de cilantro, picadas

2 cucharaditas de jugo de limón

1 cucharadita de chaat masala*

Sal al gusto

8 poppadoms

Método

- Mezclar todos los ingredientes, excepto los poppadoms, en un bol.
- Ase los poppadoms a fuego alto, dando vuelta a cada lado. Asegúrate de no quemarlos.
- Extienda la mezcla de verduras sobre cada poppadom. Servir inmediatamente.

Sandwich de verduras

Rinde 6

Ingredientes

12 rebanadas de pan

50 g / 1¾oz de mantequilla

100 g / 3½ oz de salsa picante de menta

1 papa grande, hervida y en rodajas finas

1 tomate, en rodajas finas

1 cebolla grande, en rodajas finas

1 pepino, en rodajas finas

Chaat Masala* probar

Sal al gusto

Método

- Unte con mantequilla las rebanadas de pan y aplique una capa fina de chutney de menta en cada una.
- Coloque una capa de rodajas de papa, tomate, cebolla y pepino sobre 6 rebanadas de pan.
- Espolvorea con un poco de chaat masala y sal.
- Cubrir con las rebanadas de pan restantes y cortar al gusto. Servir inmediatamente.

Ensalada Paneer

Para 4 personas

Ingredientes

1 pimiento verde cortado en cubitos

1 cebolla grande, finamente picada

125 g / 4½ oz de semillas de granada

3 cucharaditas de chaat masala*

10 g / ¼ oz de hojas de cilantro, finamente picadas

2 cucharaditas de jugo de limón

Sal al gusto

500g / 1lb 2oz paneer*,

cortado en cubitos

Método

- En un bol mezclar bien todos los ingredientes, excepto el paneer.
- Agregue los trozos de paneer suavemente, asegurándose de que no se desmoronen. Mezclar con cuidado.
- Servir frío.

Ensalada de maíz

Para 24

Ingredientes

2 cucharaditas de aceite vegetal refinado

½ cucharadita de semillas de comino

1 cebolla grande, finamente picada

2 chiles verdes finamente picados

1 tomate, finamente picado

400 g / 14 oz de granos de maíz hervidos

Sal al gusto

2 cucharaditas de jugo de limón

1 cucharadita de chaat masala*

1 cucharada de hojas de cilantro finamente picadas

Método

- Calentar el aceite en una cacerola. Agrega las semillas de comino. Déjelos chisporrotear durante 15 segundos.
- Agrega la cebolla y sofríe por un minuto.
- Agrega las guindillas, el tomate, el maíz y la sal. Cocine por un minuto, revolviendo continuamente.
- Agrega el jugo de limón, el chaat masala y las hojas de cilantro.
- Sirve a temperatura ambiente.

Ensalada Salteada

Para 4 personas

Ingredientes

2 cucharaditas de aceite vegetal refinado

100 g / 3½ oz de champiñones, en rodajas

100 g / 3½ oz de maíz tierno, cortado a lo largo

1 pimiento verde, sin corazón, sin semillas y en rodajas

½ cucharadita de pimienta negra molida

2 chiles verdes, cortados a lo largo

Sal al gusto

1 tomate, finamente rebanado

1 cucharadita de jugo de limón

Método

- Calentar el aceite en una cacerola. Agregue los champiñones, el maíz tierno y el pimiento verde. Sofreír a fuego alto durante 2 minutos.
- Agrega los ingredientes restantes. Cocine por un minuto más a fuego medio. Sirva caliente.

Ensalada de espinaca

Para 4 personas

Ingredientes

200g / 7oz de espinacas picadas

1,5 litros / 2¾ pintas de agua caliente con sal

1½ cucharada de miel clara

½ cucharada de semillas de sésamo tostadas

½ cucharada de jugo de limón

Sal al gusto

Método

- Remojar las espinacas en el agua durante 2 minutos y escurrir completamente.
- Agrega todos los ingredientes restantes a las espinacas. Mezclar bien.
- Servir frío.

Ensalada De Langostinos

Para 4 personas

Ingredientes

250g / 9oz de langostinos, pelados y desvenados

Sal al gusto

1 cucharada de jugo de limón

750 ml / 1¼fl oz de agua

50g / 1¾oz de cebolletas, finamente picadas

10 g / ¼ oz de hojas de cilantro, finamente picadas

3 cucharaditas de chaat masala*

2 chiles verdes finamente picados

1 tomate, finamente picado

1 pimiento verde finamente picado

Método

- Hierve las gambas en un cazo con la sal, el jugo de limón y el agua a fuego medio durante 10 minutos. Escurrir y enfriar.
- Mezclar bien con todos los demás ingredientes en un bol.
- Servir frío.

Piña y Miel Raita

Para 4 personas

Ingredientes

250 g / 9 oz de piña, cortada en cubitos

85 g / 3 oz de nueces mixtas (anacardos, pistachos y nueces)

1 cucharadita de miel

450 g / 1 libra de yogur

Sal al gusto

Método

- Mezcle todos los ingredientes en un bol.
- Servir frío.

Mango Raita

Para 4 personas

Ingredientes

450 g / 1 libra de mangos maduros, pelados y cortados en cubitos

450 g / 1 libra de yogur

¼ de cucharadita de azafrán, remojado en 1 cucharada de leche

Sal al gusto

Método

- Mezcle todos los ingredientes en un bol.
- Servir frío.

Lightning Source UK Ltd.
Milton Keynes UK
UKHW020640270521
384471UK00010B/790

9 781802 903706